Ned y Morwr

Argraffiad cyntaf: 2015
Ail argraffiad 2018

© Hawlfraint Haf Llewelyn a'r Lolfa Cyf. 2015

Dymuna'r cyhoeddwyr gydnabod cymorth ariannol Adran
Addysg a Sgiliau (ADaS) Llywodraeth Cymru.

Dylunio: Richard Ceri Jones

Rhif Llyfr Rhyngwladol: 978-1-78461-218-4

Cyhoeddwyd ac argraffwyd yng Nghymru
ar bapur o goedwigoedd cynaludwy gan
Y Lolfa Cyf., Talybont, Ceredigion SY24 5HE
gwefan www.ylolfa.com
e-bost ylolfa@ylolfa.com
ffôn 01970 832 304
ffacs 832 782

Ned y Morwr

Haf Llewelyn

Lluniau Valériane Leblond

Ned.

Dyma Ned.
Morwr ydy Ned.

Dyma'r cwch.

Dyma Ned yn y cwch.

Dyma'r môr.

Mae cwch Ned ar y môr.

Sblish, sblash.

Mae cwch Ned ar y môr mawr.

Mae'r môr yn mynd i fyny.
Mae'r môr yn mynd i lawr.

Mae cwch Ned yn mynd i fyny.
Mae cwch Ned yn mynd i lawr.

Mae bol Ned yn mynd i fyny.
Mae bol Ned yn mynd i lawr.

I fyny, i lawr.
I fyny, i lawr.
I fyny, i lawr.

O na! Mae Ned yn sâl.

Druan o Ned y morwr!

Geiriau allweddol

Fedrwch chi adeiladu brawddeg?

Ned	cwch
morwr	ydy
dyma	yn y
sblish sblash	
môr	mae
ar y	mawr

O na!	druan
mynd	bol
i fyny	i lawr
Mae'r	Dyma'r
sâl	Mae
Dyma	Druan

Cyfres Ned y Morwr **1**

Ned y Morwr

Haf Llewelyn

Lluniau Valériane Leblond

Cyfres Ned y Morwr **2**

Ned a Moi Cnoi

Haf Llewelyn

Lluniau Valériane Leblond

Cyfres Ned y Morwr **4**

Moi a'r Siarc

Haf Llewelyn

Lluniau Valériane Leblond

Cyfres Ned y Morwr **5**

Paid, Taid!

Haf Llewelyn

Lluniau Valériane Leblond

Cyfres Ned y Morwr **3**

Ned a Moi yn Pysgota

Haf Llewelyn

Lluniau Valériane Leblond